Mon
Premier
Larousse
des HÉROS

RÉDACTION
Françoise **de Guibert**

ILLUSTRATIONS

Aurélie **Abolivier**

Jacques **Azam**

Fred **Bernard**

Émile **Bravo**

Jérémy **Clapin**

Charles **Dutertre**

Nicolas **Hubesch**

Stéphan **Laplanche**

Sandrine **Martin**

Catherine **Meurisse**

Clément **Oubrerie**

Clotilde **Perrin**

Béatrice **Rodriguez**

Anne **Simon**

Direction artistique : Frédéric **Houssin** & Cédric **Ramadier**
Conception graphique & réalisation : **DOUBLE**

Édition : Brigitte **Bouhet**
Direction éditoriale : Françoise **Vibert-Guigue**
Direction de la publication : Marie-Pierre **Levallois**
Lecture-correction : Hélène **Bertini**
Fabrication : Nicolas **Perrier**

Mon
Premier
Larousse
des HÉROS

LAROUSSE

SOMMAIRE

LES HÉROS DE LA BIBLE   94-115

LES HÉROS DES CONTES ET LÉGENDES DE LA MYTHOLOGIE   116-157

Princes, princesses et chevaliers

PRINCES, PRINCESSES ET CHEVALIERS

LES MILLE ET UNE NUITS — Schéhérazade, la conteuse

Pour échapper à la mort, la belle et courageuse Schéhérazade invente des histoires merveilleuses.

Quand Schahriar, le puissant sultan de Bagdad, découvre que son épouse le trahit et a un amoureux, il décide de faire mourir chaque matin la femme qu'il aura épousée la veille ! C'est ainsi que chaque jour, le grand vizir amène à son maître une belle jeune fille…

Mais un jour, la fille aînée du grand vizir, la belle Schéhérazade, demande à son père de devenir la femme du sultan. Il est terrifié, mais la jeune fille a imaginé une ruse.

8

Au milieu de la première nuit, Schéhérazade commence à raconter une histoire fabuleuse qui captive son mari. À l'aube, le conte n'est pas terminé et le sultan a très envie d'en connaître la suite. Alors, il laisse la vie sauve à Schéhérazade en attendant le soir.

Nuit après nuit, la jeune femme invente de nouveaux contes. Au bout de mille et une nuits, le sultan a été tellement enchanté par toutes les histoires de sa femme qu'il renonce à la tuer.

1001 contes

Les histoires de Schéhérazade, celles d'Ali Baba, Aladin, Sindbad… ont été imaginées et racontées par les conteurs arabes. On les appelle les Contes des *Mille et une nuit.*

Ali Baba et les quarante voleurs

LES MILLE ET UNE NUITS

Le bûcheron Ali Baba découvre par hasard la formule magique et le trésor de quarante terribles voleurs.

Ali Baba est bûcheron et, chaque jour, il conduit ses trois ânes dans la forêt.
Un matin, des chevaux s'approchent au galop. Vite, Ali Baba se cache dans un arbre.

Perché sur une branche, Ali Baba voit une troupe d'hommes armés jusqu'aux dents. Chargés de lourds sacs, les quarante voleurs s'approchent d'une grosse pierre.

«Sésame, ouvre-toi!» s'écrie le chef. Aussitôt, la pierre se met à bouger. Derrière il y a une caverne. Les voleurs, entrent et ressortent un peu plus tard, les sacs vides. La caverne est refermée par magie.

Dès qu'ils sont partis, Ali Baba essaie la formule magique et entre dans la caverne.
Elle regorge de pièces d'or et de bijoux! Il remplit trois sacs et les rapporte vite chez lui.

Kassim, le frère d'Ali Baba, découvre
sa soudaine richesse. Jaloux, il se rend
à son tour dans la forêt. Il dit la formule
magique, rentre dans la caverne et remplit
de nombreux sacs d'or et de bijoux.

Quand Kassim veut sortir, il a oublié
la formule magique. Il bafouille : « Orge,
ouvre-toi! Avoine, ouvre-toi! » Trop tard,
les quarante voleurs le surprennent
et ils le coupent en morceaux.

Ali Baba et Morgane

**Grâce à la jolie Morgane, sa servante, Ali Baba
va échapper à la cruauté des quarante voleurs.**

Les quarante voleurs recherchent Ali Baba. L'un d'eux repère sa maison.
Pour la reconnaître plus tard, il marque la porte d'une croix blanche.

Heureusement, Morgane, la servante d'Ali Baba, s'en aperçoit et elle trace des croix
blanches sur les portes de toutes les maisons de la rue. Quand les voleurs arrivent,
armés jusqu'aux dents, ils n'y comprennent rien.

Mais, peu après, les voleurs retrouvent la maison d'Ali Baba. Le chef des voleurs, déguisé en marchand d'huile, fait entrer vingt ânes chargés de quarante jarres d'huile chez Ali Baba, qui le reçoit sans se méfier.

Par chance, Morgane surprend les voleurs. Alors, elle ébouillante les bandits les uns après les autres. Seul leur chef réussit à s'enfuir.

Un soir, Ali Baba reçoit la visite d'un riche homme et l'invite à dîner. À la fin du repas, Morgane qui a reconnu le chef des brigands se met à danser. Soudain, elle se jette sur lui et le poignarde. Cette fois, Ali Baba est tranquille pour toujours.

LES MILLE ET UNE NUITS — Aladin et la lampe merveilleuse

En devenant le maître du génie de la lampe, le jeune Aladin va faire fortune.

Aladin est le fils d'un pauvre tailleur. Il déteste travailler et n'aime que s'amuser. Un jour, un étrange magicien lui demande de l'accompagner dans le désert.

Le magicien prononce des formules magiques. Il lance de la poudre dans les airs et un passage secret s'ouvre dans le sol. Le magicien envoie alors Aladin sous terre.

Le garçon traverse des salles remplies d'or et un verger aux arbres couverts de pierres précieuses. Plus loin, Aladin trouve la vieille lampe que lui a demandée l'homme.

Que veux-tu ?

Ordonne maître, et je t'obéirai !

Sans le faire exprès, Aladin frotte la lampe à huile avec sa manche. À peine a-t-il prononcé ces mots qu'un gigantesque génie apparaît dans un nuage de fumée.

Avec l'aide du génie, Aladin revient en ville en un éclair. De retour chez lui, son deuxième souhait est de partager un délicieux repas avec sa mère. Grâce au génie de la lampe merveilleuse, la vie d'Aladin devient bien agréable.

LES MILLE ET UNE NUITS

Aladin et la princesse

**La fille du sultan séduit Aladin par sa beauté.
Amoureux fou, il rêve de l'épouser.**

Un matin, la fille du sultan traverse la ville pour se rendre au bain. Personne ne doit la voir mais Aladin, curieux, se cache à l'entrée des bains. Quand la princesse enlève son voile, Aladin tombe éperdument amoureux d'elle.

Le lendemain, il envoie sa mère demander la main de la princesse au sultan. Mais au palais, personne ne s'intéresse à elle.

Le matin suivant, la mère d'Aladin retourne au palais, les bras chargés des fruits en pierres précieuses rapportés par son fils. Le sultan, émerveillé par les pierres, promet sa fille en mariage à Aladin.

Pourtant, quelques jours plus tard, le jeune homme apprend que la princesse épouse le fils du grand vizir. Furieux, il demande au génie de ramener les jeunes époux chez lui avec sa magie. Il enferme le marié dans un placard pour la nuit.

Au bout de trois nuits, le jeune marié renonce à son épouse. Aladin envoie alors des esclaves chargés de richesses chez le sultan pour demander la main de la princesse.

Aladin demande aussi au génie de lui construire un palais merveilleux aux murs de marbre et d'or. Le sultan accepte enfin de célébrer le mariage d'Aladin et de la princesse Badroulboudour. C'est une fête magnifique !

LES MILLE
ET UNE NUITS

Sindbad le marin

**Le vieux Sindbad aime raconter les sept voyages
extraordinaires qu'il a faits dans sa jeunesse.**

À Bagdad, le jeune Sindbad est ruiné. Il embarque
sur un navire avec l'espoir de trouver fortune dans les îles lointaines.

Après plusieurs jours de navigation, le bateau s'arrête près d'une île. Sindbad rejoint la
terre sur une barque. À peine a-t-il allumé un feu que l'île se met à bouger. Il est sur une
gigantesque baleine qui, d'un coup de queue, plonge dans les profondeurs de la mer !

Ayant échappé à la noyade, Sindbad réussit à rentrer chez lui.
Mais il ne résiste pas à l'appel de l'aventure et repart. Par malchance,
le capitaine du bateau l'oublie sur une île déserte. Voyant une grosse boule blanche
au centre de l'île, Sindbad s'en approche.

Quelle surprise! La boule blanche est en fait un œuf. Soudain une ombre immense s'abat
sur Sindbad. C'est l'oiseau-roc qui revient au nid pour couver son œuf. Le lendemain,
Sindbad s'accroche à la patte de l'oiseau qui emporte l'aventurier dans les airs.

Les voyages de Sindbad

**Poursuivant ses voyages sur les mers,
Sindbad visite des îles pleines de danger.**

À chaque retour de voyage, Sindbad se promet de ne plus jamais naviguer.
Mais, après quelques mois de tranquillité, il ne peut s'empêcher de repartir
à l'aventure et il fait de nouvelles rencontres terrifiantes.

Des nains poilus et chevelus l'emprisonnent
dans un sombre château.

Un géant avec un seul œil et des oreilles
d'éléphant dévore plusieurs de ses amis.

Un serpent long comme un palmier essaie de l'attraper.

Un vieux sorcier grimpe sur ses épaules
et refuse d'en descendre.

Sindbad affronte de terribles tempêtes
et d'affreux naufrages.

Il descend une rivière souterraine sur un radeau qu'il a construit.

Un troupeau d'éléphants veut l'écraser.
Devenu vieux, Sindbad arrête enfin de voyager.

Arthur et les chevaliers de la Table ronde

LÉGENDE DE LA TABLE RONDE

Le roi Arthur envoie dans tout le royaume ses valeureux chevaliers.

Arthur est le fils secret du roi Uterpendragon. À sa naissance, l'enfant est confié à Merlin l'enchanteur qui fait son éducation sans lui dire son nom ni le fabuleux destin qui l'attend.

Seize ans plus tard, le roi meurt sans héritier. Pour désigner le nouveau roi, une épée apparaît par magie. Elle est profondément enfoncée dans une roche et porte un nom : Excalibur. Il est écrit : « Celui qui ôtera cette épée sera le roi. »

Tous les chevaliers du royaume tentent de retirer l'épée. Mais aucun n'y parvient.

À son tour, Arthur s'approche et saisit l'arme. Incroyable ! Il n'a aucun mal à tirer l'épée. Le voilà roi !

Un jour, Merlin conseille à Arthur de réunir ses meilleurs chevaliers. Devant eux, le magicien fait apparaître une table ronde entourée de sièges. Sur chacun des sièges, le nom d'un chevalier est écrit en lettres d'or.

Les chevaliers de la Table ronde prêtent serment. Montés sur leur destrier, ils parcourent le royaume l'épée au poing, portant secours aux damoiselles et combattant les méchants.

Le serment des chevaliers

Les chevaliers promettent de venir en aide à toute personne qui le demande et de rendre la justice par les armes.

Merlin l'enchanteur et Viviane

**Merlin est le plus puissant des magiciens,
pourtant il sera fait prisonnier par une fée.**

À sa naissance, Merlin est tout poilu, mais il sait déjà parler. Son père, un diable, lui a transmis ses pouvoirs : il lit dans les pensées et connaît le passé, le présent et l'avenir.

Enfant, Merlin porte conseil à un roi qui ne réussit pas à construire une tour. Merlin lui montre que deux dragons se battent sous les fondations et font s'écrouler la tour.

Le magicien est sage et bon. Il conseille le jeune roi Arthur pour gouverner le royaume et veille sur ses chevaliers. Sur les champs de bataille, la magie de Merlin est d'une grande utilité.

Un jour, dans la forêt de Brocéliande, le magicien est séduit par la fée Viviane. Au début, il lui montre comment faire couler une rivière ou créer un verger.

Mais Viviane veut connaître toute la magie de Merlin. L'enchanteur lui apprend sans méfiance comment retenir un homme prisonnier pour l'éternité.

Brocéliande

Les légendes de la Table ronde se déroulent en Grande-Bretagne et en Bretagne. La forêt de Brocéliande existe réellement près de Rennes.

Profitant du sommeil de son amoureux, Viviane ensorcelle Merlin. Elle l'entoure de son écharpe de soie blanche enfermant ainsi le magicien dans une prison de brume plus solide que la plus solide des tours.

Lancelot du Lac

Monté sur son cheval blanc, le chevalier Lancelot est le plus vaillant des chevaliers de la Table ronde.

Lancelot est le fils d'un roi de Bretagne, le roi Ban de Bénoïc. Tout bébé, il est enlevé par la fée Viviane qui l'emmène vivre dans son palais au fond d'un lac.

La Dame du Lac donne à son protégé les meilleurs professeurs et, chaque jour, le garçon devient plus habile, plus fort et plus intelligent.

Un jour, la Dame du Lac vient en grande procession au-devant du roi Arthur. Elle lui demande de prendre Lancelot à son service. À 15 ans, Lancelot est fait chevalier de la Table ronde par le roi lui-même.

À la cour, Lancelot rencontre la reine Guenièvre. Ébloui par sa beauté, il en tombe amoureux et part aussitôt en quête d'aventures, pressé d'accomplir des exploits pour la dame de ses pensées.

Dans un village, on supplie Lancelot de délivrer un château ensorcelé. Le vaillant chevalier blanc affronte seul les vingt chevaliers en armure qui gardent la forteresse.

Avec l'aide de Viviane, Lancelot sort vainqueur de la bataille. Mais les sortilèges et les malédictions qui tourmentent le château ne cesseront définitivement que s'il trouve la clé des enchantements.

Lancelot combat deux géants, puis un dragon puant. Avec la clé, il ouvre un coffret d'où trente diables s'enfuient. Le château est délivré.

LANCELOT Lancelot, le chevalier à la charrette

**Par amour pour la reine Guenièvre,
Lancelot est prêt à tous les combats.**

Un jour, la reine offre sans le savoir un fruit empoisonné à un chevalier. Le frère du mort accuse Guenièvre et demande à Arthur un grand tournoi pour la juger.

Pour l'honneur de la reine, Lancelot combat trois chevaliers à la suite et remporte le tournoi. Grâce à sa bravoure, la reine est reconnue innocente.

Une autre fois, un méchant seigneur enlève la reine. Lancé à sa poursuite, Lancelot rencontre un nain. Le nain propose de le conduire jusqu'à Guenièvre, à condition que le chevalier monte dans sa charrette.

Pour un chevalier, être vu dans une charrette, c'est perdre son honneur. Elle est réservée aux traîtres et aux meurtriers qui vont être pendus. Pourtant, Lancelot monte derrière le nain et retrouve la reine.

Jalouse de l'amour de Lancelot pour la reine, la fée Morgane retient le chevalier prisonnier dans le terrible Val sans retour. Elle lui propose la liberté contre un baiser, mais il refuse. Il réussit à s'enfuir après avoir peint sa vie sur les murs de sa prison.

Plusieurs années passent. Un jour, Arthur voit les peintures de Lancelot. Il découvre l'amour qui le lie à Guenièvre. Le roi et son meilleur chevalier deviennent alors ennemis.

Lancelot doit s'exiler à jamais…

PERCEVAL

Perceval le Gallois

Le jeune Perceval rêve de batailles et d'exploits, mais sa mère veut le garder près d'elle.

Quand Perceval naît, sa mère a déjà perdu deux fils dans des combats. Pour le protéger, elle l'élève dans la forêt, sans jamais lui parler de la Table ronde et de ses héros.

Un jour, le jeune Perceval croise des hommes à cheval magnifiquement vêtus. Ce sont des chevaliers. Il leur trouve si fière allure qu'il part pour la cour du roi Arthur.

Perceval réclame d'être fait chevalier par le roi. Le garçon a du courage mais ne sait rien des bonnes manières. Mal habillé, grossier, il déclenche les rires et n'est pas pris au sérieux.

Tout près du château, Perceval croise le Chevalier Vermeil. Il le tue et lui prend son armure vermeille. C'est son premier exploit!

Puis Perceval apprend auprès d'un noble seigneur les règles de la chevalerie : bravoure, loyauté, courtoisie.

La princesse Blanchefleur appelle Perceval au secours du château de Beaurepaire, attaqué par le Seigneur des îles. Les deux hommes se battent à la lance, puis à l'épée.

Perceval est vainqueur et il épouse Blanchefleur. Le roi Arthur le nomme le « chevalier à l'armure vermeille ».

LE ROMAN DE RENART — Les tromperies de compère Renart

Le rusé Renart adore jouer des mauvais tours à son oncle Ysengrin le loup.

Le paradis au fond du puits

Un jour, Ysengrin entend Renart qui chante au fond d'un puits.

Le loup saute dans le seau en criant : « À mon tour ! » En descendant, Ysengrin fait remonter Renart qui lui lance un grand sourire et lui dit : « Amuse-toi, bien ! »

Arrivé au fond du puits, le loup est bien surpris. Il y fait noir et il n'y a ni saucisse ni jambon. Renart s'est moqué de lui une fois encore !

La pêche aux anguilles

Par une nuit d'hiver, Renart emmène Ysengrin pêcher sur un étang gelé. Il conduit le loup jusqu'à un trou dans la glace.

« C'est très simple, explique Renart, tu plonges ce seau dans l'eau et il se remplit d'anguilles. » Ysengrin attache le seau à sa queue et l'enfonce dans l'eau glacée.

Le loup attend patiemment. Au bout d'un moment, l'eau se transforme en glace et Ysengrin sent des tiraillements. Il se réjouit : ce sont sûrement les poissons qui arrivent !

Ysengrin veut remonter le seau. Malheur ! Il est coincé et Renart a disparu. Voyant le loup, un paysan lui coupe la queue à ras. Ysengrin se sauve en courant.

Tristan et Iseut

À cause d'un philtre magique, Tristan et Iseut s'aiment d'un amour passionné et impossible.

Pendant son voyage, Tristan terrasse un dragon aux yeux rouges comme la braise.

La belle Iseut part avec Tristan. Pendant la traversée, Iseut et Tristan boivent par erreur un philtre d'amour. Les voilà ensorcelés !

À cause de ce vin merveilleux, Iseut et Tristan brûlent d'un amour fou. Iseut épouse malgré tout le roi Marc. Mais les amoureux se donnent des rendez-vous au clair de lune.

Une nuit, le roi les surprend en train
de s'embrasser. Furieux de leur trahison,
il les condamne à brûler sur le bûcher.
Tristan s'échappe et revient délivrer Iseut.

Après plusieurs semaines dans la forêt,
Tristan ramène Iseut chez le roi Marc.
Tristan doit s'exiler.

Au cours d'un combat, Tristan reçoit
un coup de lance empoisonnée. Sentant sa
mort proche, il veut revoir Iseut la Blonde,
la seule femme qu'il ait jamais aimée.
Un messager part vers la Cornouaille.

Tristan est au plus mal mais le messager
revient. Son bateau porte une voile blanche
signe que la reine est à bord. Hélas,
une femme jalouse annonce à Tristan que
la voile est noire. À cette nouvelle, il meurt.

ROBIN
DES BOIS

Robin des Bois, le justicier

Dans la forêt de Sherwood, le vaillant Robin des Bois
vole les riches et donne aux pauvres.

Robin de Locksley part en croisade avec le roi d'Angleterre, Richard Cœur de Lion.
Après plusieurs années de guerre, Robin revient dans son pays
pendant que Richard continue à se battre.

En l'absence du roi Richard, le prince Jean,
son frère, s'est emparé du trône.
Il a augmenté les impôts et chargé le shérif
de Nottingham de récolter l'argent
des pauvres par la force.

Robin refuse de servir ce prince déloyal
et il se cache dans la forêt de Sherwood.
Un jour, il sauve un groupe de paysans qui
devaient être pendus par le shérif. Les
paysans choisissent Robin pour être leur chef.

Robin et ses joyeux compagnons, frère Tuck et le grand Petit-Jean, vivent à l'abri dans la forêt au milieu des cerfs et des chevreuils. Avec leurs arcs et leurs flèches, ils attaquent les convois royaux chargés d'or et ils redistribuent cet or aux pauvres.

Robin est le meilleur archer du royaume. Déguisé en noble, il participe à un tournoi et remporte l'épreuve de tir à l'arc. Il a bien mérité le baiser de Dame Marianne ! À la fin du tournoi, Robin enlève la belle Marianne et l'emmène avec lui dans la forêt. Quelque temps plus tard, Richard Cœur de Lion revient et le prince Jean finit en prison.

Roméo et Juliette

L'amour de Roméo et Juliette est impossible à cause de leurs familles, ennemies depuis toujours.

Roméo est le fils de la famille Montaigu. Au cours d'un bal masqué, il rencontre Juliette Capulet. Leurs regards se croisent, leurs cœurs s'enflamment.

Hélas, les Capulet sont les ennemis jurés des Montaigu ! Pendant la nuit, Roméo se rend sous le balcon de la jeune fille. Ils se déclarent leur amour.

Le lendemain, Juliette et Roméo se retrouvent en secret dans une église. Un prêtre célèbre leur mariage.

Le même jour, Roméo tue Tybalt, un neveu des Capulet qui l'a provoqué. À cause de ce meurtre, il doit quitter la ville. Pendant ce temps, le père de Juliette promet la main de sa fille au comte Pâris.

Pour éviter ce mariage, Juliette boit une potion magique. Un messager doit demander à Roméo de venir la chercher quand elle se réveillera, deux jours plus tard.

Le messager est parti trop tard, Roméo trouve le corps de Juliette dans le tombeau de la famille et croit qu'elle est vraiment morte. Fou de douleur, il avale du poison.

Quand Juliette se réveille, elle trouve Roméo étendu à ses côtés. Elle ne peut pas vivre sans son amour et elle se plante un poignard dans le cœur.

En découvrant Roméo et Juliette enlacés dans le tombeau, les familles comprennent ce qui s'est passé. Les Capulet et les Montaigu se réconcilient enfin.

Pocahontas, la petite Indienne

**En Amérique, la belle Pocahontas fait la paix
entre les Indiens de sa tribu et les colons anglais.**

Pocahontas est la fille d'un chef indien.
Sa tribu vit le long des côtes américaines.
Un jour, les Indiens voient débarquer
les immenses bateaux à voiles des Anglais.

Au début, les Indiens aident les Anglais
à installer leur campement. Jour après jour,
la colonie anglaise s'organise sous les yeux
étonnés de Pocahontas.

Mais certains Anglais maltraitent les Indiens.
De leur côté, certains Indiens
ne supportent pas ces envahisseurs. Les
bagarres sont de plus en plus nombreuses.

Les Indiens font prisonnier le capitaine
John Smith. Sous un tipi, les sages décident
de tuer l'Anglais. Mais Pocahontas réussit
à convaincre son père de le relâcher.

Au fil des années, la jeune Indienne apprend la langue anglaise, et elle épouse un colon anglais, John Rolfe. Grâce à elle, les Anglais et les Indiens font la paix.

Pocahontas entreprend alors un voyage en Angleterre avec son mari, leur fils et dix Indiens. Arrivés à Londres, ils sont tous magnifiquement reçus à la Cour.

Malheureusement, au moment de repartir pour l'Amérique, Pocahontas tombe malade et meurt très vite. On l'enterre dans une église anglaise, loin de sa tribu.

Don Quichotte

**Passionné par les histoires de chevaliers,
Don Quichotte rêve d'exploits chevaleresques.**

Don Quichotte vit en Espagne bien
longtemps après le Moyen Âge. Mais le vieil
hidalgo rêve d'aventures grandioses
comme celles du temps des chevaliers.

En fouillant dans son grenier, il trouve
une vieille armure, un casque percé
et une épée rouillée. Le soir même,
il est fait chevalier par l'aubergiste du village.

Don Quichotte est prêt à se battre contre
toutes les injustices. Il part sur les routes
monté sur un grand cheval maigre et
accompagné du brave Sancho Pança.

Dans une plaine couverte de moulins à
vent, Don Quichotte croit voir des géants.
Malgré les avertissements de Sancho Pança,
le chevalier fonce tout droit.

Il charge le premier moulin la lance à la main en criant «Ne fuyez pas, ne fuyez pas!»
Sa lance se brise et il est envoyé dans les airs par l'une des grandes ailes.

Plus loin, Don Quichotte se trouve pris dans le brouillard. Sans écouter Sancho Pança,
le chevalier attaque un troupeau de moutons qu'il prend pour une armée ennemie.

Cervantès

Avec *Don Quichotte*, l'écrivain espagnol Cervantès se moque des histoires de chevaliers qui faisaient rêver les nobles de son époque.

Au passage d'une diligence dans laquelle voyage une belle
dame, Don Quichotte imagine cette fois que la dame a été
enlevée par des bandits. Il s'attaque au cocher et aux gardes.

Les héros des contes

**Dans tous les contes de fées, les princes
et les princesses vivent des aventures magiques.**

La Belle
au bois dormant

Dans son magnifique château,
la Belle au bois dormant s'est
piquée le doigt sur un fuseau
et s'est endormie pour cent
ans. Seul le baiser du prince
charmant pourra la réveiller.

Peau d'âne

Pour fuir son père qui veut
l'épouser, la princesse doit se vêtir
d'une peau d'âne. Elle quitte le
royaume en emportant dans un
coffre une robe couleur du Temps,
une autre couleur de Lune,
et une autre couleur de Soleil.

Cendrillon

La pauvre Cendrillon,
qui dort dans les cendres,
rêve d'aller au bal du prince.
Sa bonne marraine, la fée,
lui offre, d'un coup de
baguette magique, une belle
robe et un carrosse…
jusqu'à minuit!

Riquet à la houppe

À sa naissance, Riquet reçoit l'intelligence mais un visage fort laid. Son mariage avec une princesse fort belle mais très sotte redonne à chacun d'entre eux ce qui lui manque.

Blanche-Neige

Fuyant dans la forêt, Blanche-Neige est recueillie par sept nains. Sa belle-mère, qui la déteste, la retrouve et lui fait croquer une pomme empoisonnée…

La princesse au petit pois

Par un soir d'orage, une princesse trouve refuge dans un château. Pour savoir s'il s'agit d'une vraie princesse, la reine place un petit pois sec sous dix matelas et dix édredons. Quelle mauvaise nuit pour la princesse !

Les grandes aventures

Gulliver chez les Lilliputiens

À la suite d'un naufrage, Gulliver découvre l'île de Lilliput et ses tout petits habitants.

Gulliver est médecin à bord de l'*Antilope*, un bateau voguant vers les mers du Sud. Son navire ayant fait naufrage, il réussit à rejoindre une île à la nage.

Quand il se réveille le lendemain matin, Gulliver est solidement attaché au sol. Une bande de tout petits humains est en train de l'escalader.

Gulliver casse ses liens pour se détacher mais, aussitôt, des flèches minuscules lui transpercent la peau. Il ne bouge plus, mais il leur montre d'une main qu'il a faim et soif.

Les Lilliputiens apportent des petits animaux rôtis à la broche et des tonneaux de vin que Gulliver engloutit rapidement.

Plus tard, Gulliver est transporté dans la ville tiré par des centaines de chevaux. L'empereur l'accueille avec politesse et lui apprend la langue de l'île.

Peu à peu, Gulliver devient l'ami des Lilliputiens. Il leur rend de nombreux services. Il sauve le palais de la reine d'un terrible incendie en faisant pipi dessus.

Mais Gulliver se languit de son pays. Par chance, il trouve une barque échouée sur la plage et réussit à rentrer chez lui, ramenant dans ses poches six vaches et deux taureaux.

« LES VOYAGES DE GULLIVER »

Gulliver chez les géants

Lors de son deuxième voyage, Gulliver se retrouve cette fois à Brobdingnag, un pays de géants.

Un fermier, grand comme une maison, le trouve dans son champ. Voyant qu'il ne s'agit pas d'un animal, le fermier emballe Gulliver dans son mouchoir et il le ramène chez lui.

Dans la nuit, Gulliver est attaqué par des rats. Il réussit à se défendre avec son couteau. Pour le mettre à l'abri, la fille du fermier, l'installe dans un lit de poupée.

Le fermier emporte Gulliver sur le marché et le fait danser pour les curieux. Le petit voyageur a beaucoup de succès et le fermier voit là un bon moyen de devenir riche.

La reine des géants achète Gulliver pour
l'offrir à son époux. Gulliver est très bien
traité. Il discute avec les savants du pays
et il assiste à tous les repas de la reine.

Un jour, un nain jaloux de sa toute petite
taille le laisse tomber dans un bol de crème
où Gulliver manque de se noyer.
Heureusement, une fillette le sauve.

Gulliver suit la reine et le roi dans leurs
déplacements. On construit pour lui
une boîte en bois garnie d'un hamac,
d'une table et d'une chaise pour
qu'il voyage confortablement.

Au cours d'un voyage, un aigle s'empare
de la boîte et la laisse tomber dans la mer.
Quelques jours plus tard, Gulliver
est découvert par des marins anglais.

Pinocchio, le pantin de bois

LES AVENTURES
DE PINOCCHIO

Le vieux menuisier Gepetto fabrique un pantin dans un morceau de bois. Il l'appelle Pinocchio.

Quelle surprise pour Gepetto de voir son pantin remuer les yeux, agiter les bras, rire et chanter. Hélas ! À peine Gepetto a-t-il fini les pieds que le pantin s'enfuit en courant.

Le soir, Pinocchio revient à la maison.
Un grillon lui donne de bons conseils :
« Tu dois obéir à ton père et aller à l'école. »
Ces paroles fâchent Pinocchio qui le tue
d'un coup de maillet.

Le lendemain, Gepetto fabrique des habits
en papier à son pantin. Il vend même son
seul manteau pour lui acheter un alphabet.
Ainsi équipé, Pinocchio part pour l'école,
décidé à être un bon élève.

En chemin, Pinocchio entend une musique.
C'est un théâtre de marionnettes. Il oublie
ses bonnes résolutions et vend son alphabet
tout neuf pour aller voir le spectacle.

Pinocchio devient l'ami des marionnettes.
Le directeur du théâtre, en apprenant que
Gepetto est très pauvre, confie à Pinocchio
cinq pièces d'or pour son père.
Pinocchio, tout heureux, rentre chez lui.

Dans la rue, il croise un chat et un renard
très curieux. Sans se méfier, il leur parle des
cinq pièces. « Veux-tu faire pousser ton or ? »
demande le chat. « Viens avec nous ! » disent
les deux compères en l'entraînant.

Sur les conseils du chat et du renard,
Pinocchio plante ses pièces dans la terre.
Mais, dès qu'il a le dos tourné, les deux
bandits lui volent sa fortune et s'enfuient.
Il n'aurait jamais dû leur faire confiance !

Pinocchio au pays des Jouets

LES AVENTURES
DE PINOCCHIO

Pinocchio en a assez d'être un pantin, il aimerait par-dessus tout devenir un vrai petit garçon.

Pinocchio est recueilli par une fée. Il essaie d'être sage.
Gare à lui s'il ment, car aussitôt, son nez s'allonge !
Voyant ses efforts, la fée promet de le transformer en petit garçon.

Mais Pinocchio se laisse entraîner encore une fois. Il part avec un ami au pays des Jouets. Une voiture tirée par des ânes les emmène dans ce pays sans école, où l'on s'amuse du matin au soir.

Pinocchio est heureux au pays des Jouets. Il va à la fête foraine, mange des sucreries, il joue, rit et danse avec les autres enfants. Mais, un jour, le pantin se réveille avec des oreilles d'âne.

54

Transformé en âne complet, Pinocchio regrette son manque d'obéissance. Il est vendu dans un cirque où il fait des tours et des cabrioles. Un jour, il est jeté dans la mer.

Redevenu un pantin, Pinocchio est avalé par un immense requin. Il voit quelque chose briller au loin et avance à tâtons. Quelle joie, il retrouve Gepetto, son père !

Pinocchio et Gepetto réussissent à sortir du ventre du requin. Montés sur un thon, ils regagnent le rivage, sains et saufs. Pinocchio aide son père à marcher et trouve une maison pour la nuit.

Dorénavant, Pinocchio s'occupe de son père et travaille courageusement. Le soir, il apprend à lire et à écrire. Et un matin, à son réveil, il a l'heureuse surprise d'être devenu un vrai petit garçon.

ALICE AU PAYS
DES MERVEILLES

Alice au pays des merveilles

**La petite Alice se met à suivre un lapin blanc
sans se douter des aventures qui l'attendent!**

Je suis en retard, je suis en retard!

Par une chaude après-midi d'été, Alice est assise au pied d'un arbre. Soudain, un lapin blanc passe à côté d'elle. Il est très bien habillé. Et voilà qu'il tire une montre de son gilet!

Alice suit le lapin dans son terrier. Soudain, elle glisse et se met à tomber… On dirait qu'elle va arriver au centre de la Terre! Enfin, elle atterrit sur un tas de feuilles mortes sans se faire mal.

La petite fille est devant une porte si petite qu'elle ne peut la passer. Trouvant un joli flacon, Alice en boit le contenu et devient toute petite. Malheureusement, elle a laissé la clé tout là-haut, sur une table.

Alice croque un bout de gâteau qui la fait
grandir. Maintenant, elle a la clé
mais impossible de sortir. Elle pleure
et ses larmes de géante forment une mare.

Tout à coup, Alice redevient petite et elle est
emportée par ses larmes jusqu'à une plage
où une souris, un canard, un dodo, des
crevettes et des crabes discutent avec elle.

Alice en a assez d'être trop grande
ou trop petite, elle cherche à résoudre
son problème une fois pour toutes. Installée
sur un champignon, une grosse chenille
bleue vient à son aide.

Alice croque un morceau du champignon
et se retrouve avec un très long cou.
Puis, grignotant un morceau qui fait grandir
et un morceau qui rapetisse, elle pense
avoir retrouvé sa taille.

ALICE AU PAYS
DES MERVEILLES

Alice chez la reine de cœur

**Alice fait d'étonnantes rencontres : un chat
qui disparaît, un chapelier fou, une reine de cœur.**

Sur le chemin, Alice croise le chat du comté
de Cheshire. Ce chat a le pouvoir
de disparaître et d'apparaître
quand il en a envie.

Alice est invitée à prendre le thé
par le chapelier et le lièvre de Mars.
Mais ils sont complètement fous.

Alice arrive près du château de la reine de cœur. Dans le parc, elle découvre des cartes
à jouer en train de repeindre des roses blanches avec de la peinture rouge
car la reine de cœur n'aime que le rouge !

La reine apparaît avec toute sa cour. Elle invite Alice à une partie de croquet. Mais, c'est difficile! Les boules sont des hérissons et les maillets des flamants roses.

Les joueurs jouent tous en même temps, les cartes qui forment les arceaux se déplacent et la reine hurle sans arrêt : « Coupez-lui la tête! Coupez-lui la tête!»

Le jeu est suivi par un procès. Le roi et la reine jugent le pauvre valet de cœur et, bien qu'Alice ne sache rien de l'affaire, le roi lui demande son avis sans arrêt.

Soudain, Alice retrouve enfin sa taille normale et toutes les cartes du jeu de cartes lui sautent à la figure. La petite fille se réveille sous l'arbre où elle s'était endormie. Ce n'était donc qu'un rêve!

LE MERVEILLEUX VOYAGE…

Nils Holgersson et le lutin

Nils Holgersson est un mauvais garçon menteur et paresseux mais, un jour, sa vie va changer.

Un jour, le jeune Nils Holgersson reste seul dans la ferme de ses parents. Il attrape dans un filet un tomte, un petit lutin suédois, et il s'amuse avec lui.

Mais le lutin réussit à s'échapper et, pour punir Nils, il lui donne sa petite taille et son bonnet pointu. Dans la basse-cour, tous les animaux se moquent de lui.

C'est le printemps, les oies sauvages volent vers le nord de la Suède. En les voyant passer au-dessus de la ferme, un grand jars blanc décide de les suivre. Nils veut le retenir… et il est emporté dans les airs.

En volant, les oies traversent les campagnes
et appellent les autres animaux.
« Nous allons vers le Nord ! » crient-elles.
Nils est très content de les accompagner,
assis sur le dos du grand jars.

Le soir, les oies se posent enfin. Akka,
la chef des oies sauvages, n'aime guère
les hommes. Nils devra rentrer chez lui
le lendemain. Blotti entre les plumes du jars
blanc, le garçon, épuisé, s'endort.

Pendant la nuit, un renard attrape une
des oies. Courageusement, Nils le poursuit
et s'accroche à sa queue. Il énerve tant
le renard que celui-ci relâche sa proie.

Nils passe la nuit en haut d'un arbre.
À l'aube, il voit les oies partir.
Mais, un peu plus tard, elles reviennent
pour éloigner le renard et le sauver.

LES GRANDES AVENTURES

LE MERVEILLEUX VOYAGE…

Nils Holgersson, le voyageur

Grâce à son courage, Nils peut accompagner les oies sauvages dans leur grand voyage vers le Nord.

C'est passionnant de voyager dans les airs, mais Nils regrette parfois sa vie d'homme.
Il apprend que s'il veille sur le jars et le ramène sain et sauf, il redeviendra un homme.

Un soir, les oies se posent près d'une falaise
où sont déjà réunis des centaines d'oiseaux
venus de tout le pays. Émerveillé,
Nils assiste à la grande danse des grues,
un spectacle exceptionnel !

Malgré sa petite taille, Nils est débrouillard
et brave. Il réussit à piéger plusieurs fois
le renard et vient en aide aux animaux :
il délivre un oiseau enfermé dans une cage,
soigne les oies blessées.

Un matin, Nils est enlevé par des corneilles. Avec son petit couteau, il s'attaque sans peur à leur chef. Il détourne l'attention des autres oiseaux avec des petites pièces et se sauve.

C'est le retour de l'automne. Pour échapper au froid, les oies sauvages entreprennent le voyage de retour. Traversant d'épais brouillards et de grosses averses, elles volent sans relâche vers le Sud.

De retour chez lui, Nils retrouve avec bonheur sa taille normale et ses parents. Mais il est bien triste de constater qu'il ne comprend plus le langage des oies ni celui des autres animaux.

PETER
PAN

Peter Pan et le pays de Nulle Part

Peter Pan a décidé de ne jamais grandir pour rester un enfant toute sa vie et pouvoir s'amuser.

Un soir, Wendy, John et Michael Darling font la connaissance de Peter Pan. Le garçon cherche son ombre dans leur chambre. Wendy, l'aînée des enfants, la retrouve et la coud aux pieds de Peter.

Peter Pan, tout content, propose alors d'emmener les enfants au pays de Nulle Part. C'est un monde merveilleux où l'on peut vivre mille aventures incroyables.

Pour y aller, les enfants doivent d'abord apprendre à voler. Peter attrape Tinn-Tamm, une petite fée qui l'accompagne et il les saupoudre de poussière de fée. Aussitôt, les trois enfants planent dans la chambre.

Les enfants suivent Peter Pan dans le ciel. Après un long voyage, ils survolent enfin le pays de Nulle Part. Ils aperçoivent un bateau pirate dans une crique, le camp des Indiens.

Jalouse de Wendy, la fée l'entraîne dans un piège. Wendy est prise comme cible par un groupe de petits garçons avec leurs arcs. Elle est touchée par une flèche.

Furieux, Peter chasse Tinn-Tamm et gronde les garçons perdus, des orphelins qui vivent dans l'île. Heureusement, Wendy est vivante ! La flèche s'est plantée dans le pendentif qu'elle porte au cou.

À la demande de Peter, Wendy accepte de devenir la maman des garçons perdus. Pour fêter l'événement, ils font un grand goûter dans leur maison souterraine et Wendy leur raconte une histoire.

Peter Pan et le capitaine Crochet

Au Pays de Nulle Part, Peter Pan a un ennemi juré : le terrible capitaine Crochet.

Les trois enfants Darling adorent le pays de Nulle Part. Wendy aime regarder les jolies sirènes qui vivent dans le lagon bleu. John rêve de combattre les pirates et Michael d'affronter les Indiens.

Les garçons perdus avancent en file indienne sur les traces des Peaux-Rouges, eux-même suivant silencieusement les pirates qui, de leur côté, pourchassent Peter et les garçons perdus.

Mais ce n'est pas tout : un énorme crocodile suit le capitaine Crochet à la trace. Cet animal qui a déjà mangé sa main droite terrorise le pirate. On le reconnaît à son étrange bruit de tic-tac.

Le capitaine Crochet déteste férocement Peter depuis qu'il a donné sa main au crocodile. Pour lui tendre un piège, il enlève Wendy et tous les enfants perdus et les conduit sur son bateau.

En imitant le tic-tac du crocodile, Peter Pan crée la panique à bord. En un éclair, il délivre les enfants perdus et un combat acharné s'engage contre les pirates.

Quelques pirates réussissent à s'enfuir sur le canot de sauvetage. Peter désarme le capitaine et le pousse par-dessus bord, tout droit dans la gueule du crocodile. Ainsi périt le capitaine Crochet.

Après toutes ces aventures, Wendy et ses deux frères ont envie de retourner chez eux et de revoir leurs parents. Ils disent adieu à Peter et aux enfants de l'île de Nulle Part et s'envolent.

LE LIVRE DE LA JUNGLE
Mowgli, l'enfant de la jungle

Élevé par les loups, Mowgli grandit dans la jungle au milieu de tous les animaux.

Dans la jungle, Shere Khan, le tigre, est sur la piste d'un bébé sans défense. Heureusement, un couple de loups sauve le petit garçon. Sur le Rocher du Conseil, le clan adopte solennellement Mowgli.

Mowgli grandit avec les louveteaux. Il apprend à courir et à chasser avec le clan des loups. Mais il devient aussi très habile pour nager, grimper aux arbres ou ramper en silence dans les hautes herbes.

Une grande panthère noire nommée Bagheera est la grande amie de Mowgli. Elle connaît bien le monde des hommes car elle est née dans une cage. Elle protège le petit garçon contre tous les dangers de la jungle.

Baloo, l'ours, enseigne aux jeunes animaux
la loi de la jungle. Mowgli doit reproduire
sans se tromper les grognements de l'ours,
les cris du vautour, le sifflement du serpent.
C'est difficile !

Un jour, Baloo donne un sévère coup de
patte à son élève. Mowgli s'éloigne, fâché.
Soudain, des singes gris l'entourent.
Imprudent, le petit garçon se laisse
séduire par leurs belles paroles :
« Tu seras le chef ! Suis-nous ! »

En quelques secondes, Mowgli est enlevé
dans les airs par les singes. Sautant
de branche en branche, ils entraînent,
en criant, le pauvre garçon tout étourdi
vers une ancienne ville en ruines.

Bagheera et Baloo savent que les singes
sont dangereux et ils partent chercher
Mowgli. Kaa le serpent les accompagne.
Les singes attaquent l'ours et la panthère,
mais ils s'enfuient devant le python.

Mowgli et les hommes

Chassé de la jungle, Mowgli doit retourner vivre parmi les hommes.

Les années passent. Akela, le chef des loups, se fait vieux. Les jeunes loups du clan ne veulent plus d'un humain parmi eux. Mowgli doit partir…

Le cœur serré, le petit d'homme traverse la jungle, en direction du village. Une femme l'accueille chez elle. Mowgli apprend à parler comme il a appris les cris des animaux.

Au village, Mowgli découvre la vie des hommes : il doit porter un pagne, comprendre à quoi sert l'argent, apprendre à labourer. On lui confie un troupeau de buffles qu'il emmène paître.

Un soir, un loup vient lui donner des nouvelles : Shere Khan a juré de tuer Mowgli qui lui a échappé par deux fois. L'enfant de la jungle fait à son tour la promesse d'obtenir la peau du tigre.

Caché dans un marais, le tigre attend le garçon à l'entrée du village pour l'attaquer
à la tombée de la nuit. Mais Mowgli a un plan : aidé par deux loups, il lance le troupeau
de buffles sur le tigre, qui meurt écrasé.

Mowgli découpe la peau du tigre avec son
couteau. Mais, quand il revient au village
avec son trophée, les hommes lui lancent
des pierres. Ils ont peur de lui.

Mowgli regagne la jungle. Il dépose la peau
du tigre sur le Rocher du Conseil. Le clan
des loups et celui des hommes l'ont
repoussé, il chassera seul désormais.

DRACULA

Dracula, le prince des vampires

Malheur à ceux qui s'arrêtent dans l'étrange château du comte Dracula, car il a besoin de boire du sang !

Dans les montagnes de Transylvanie, un château maudit dresse ses remparts déchiquetés dans la brume. C'est la demeure du mystérieux comte Dracula.

Le jour, il reste dans le noir allongé dans un cercueil, car il ne supporte pas la lumière du soleil. C'est un vampire ! Il déteste également les croix et l'ail le fait fuir.

Le comte invite les voyageurs égarés dans la nuit à dormir chez lui. Il est maigre et très pâle ; ses dents pointues poussent chaque nuit. Un soir, il reçoit la visite de Jonathan, un jeune Anglais.

Pendant la nuit, Dracula s'approche du lit,
prêt à le mordre… mais la croix que porte
Jonathan au cou le repousse.
Sain et sauf, le jeune homme réussit
à s'enfuir et retourne dans son pays.

Le comte Dracula va lui aussi en Angleterre
et il ensorcelle Mina, l'amie de Jonathan.
Comme une somnambule, Mina se rend
au cimetière rejoindre Dracula. Mordue
par le vampire, elle tombe malade.

Le médecin comprend qu'il se passe
quelque chose d'étrange. La chasse
au vampire commence ! Mais le comte
se transforme en chauve-souris
et il échappe à ses poursuivants.

Pourtant, une nuit, Jonathan et ses amis
réussissent à coincer Dracula, et, aux
premiers rayons du soleil, le vampire tombe
en poussière sous leurs yeux.

D'Artagnan

**Un jeune homme de Gascogne, d'Artagnan,
rêve de devenir un mousquetaire du roi de France.**

D'Artagnan est un jeune homme intrépide du sud de la France. Il monte à Paris sur son vieux cheval, emportant avec lui une lettre de son père pour un ami du roi Louis XIII.

Le séjour à Paris commence mal.
D'Artagnan bouscule un mousquetaire,
puis marche sur les pieds d'un autre,
et enfin, il vexe sans le vouloir un troisième.

Furieux, les trois mousquetaires, Aramis,
Porthos et Athos donnent rendez-vous
à d'Artagnan pour le battre en duel.
Le premier duel vient juste de commencer
quand des soldats interviennent.

Ce sont les soldats du cardinal de Richelieu. Il vient d'interdire les duels…
Les trois mousquetaires sortent leurs épées et d'Artagnan les rejoint dans la bataille.

Un peu plus tard, les mousquetaires fêtent leur victoire avec d'Artagnan. Ensemble,
ils se sentent invincibles et croisent leur épée en s'écriant : «Un pour tous, tous pour un !»

Les bijoux de la reine

**Les quatre mousquetaires sont prêts à risquer
leur vie pour l'honneur de la reine.**

D'Artagnan est entré au service du roi de France comme ses amis Aramis, Porthos
et Athos. Les jeunes gens ne se quittent plus, unis comme les doigts de la main.

Les mousquetaires découvrent que
le cardinal de Richelieu complote contre
la reine. Sa Majesté est en danger !
D'Artagnan et ses trois amis se mettent
aussitôt au service de la reine.

La reine de France est amoureuse en secret
d'un Anglais, le duc de Buckingham.
Pour preuve de son amour, elle lui a confié
des bijoux ornés de diamants
que lui a offerts le roi.

Une espionne du cardinal de Richelieu a tout raconté à son maître. Pour compromettre la reine, le cardinal fait organiser un bal où elle devra se montrer au roi, parée de ses fameux diamants.

Paniquée, la reine fait appel aux braves mousquetaires pour aller récupérer les bijoux en Angleterre. Sans hésitation, les quatre jeunes gens partent au grand galop trouver le duc de Buckingham.

Leur voyage est semé d'embûches : ils doivent affronter les soldats du cardinal et Milady, une aventurière sans scrupule.

Heureusement, d'Artagnan revient avec les diamants. L'honneur de la reine est sauf !

TARZAN

Tarzan, l'homme-singe

Tarzan grandit avec les singes. Un jour, il découvre qu'il existe d'autres hommes comme lui.

Un avion s'écrase au plus profond de la jungle. Tous ses passagers meurent dans l'accident, sauf le plus petit : un bébé. Guidée par les pleurs de l'enfant, une femelle gorille vient à son secours.

Elle l'appelle Tarzan, le « singe blanc ». Il grandit au milieu des autres gorilles, et apprend vite à se balancer de liane en liane. Mais il est aussi capable de nager comme un poisson ou de courir comme un guépard.

Un jour, un petit singe tombe dans la rivière. Aussitôt, Tarzan plonge du haut d'un arbre pour le rattraper.

Au même moment, un gigantesque crocodile surgit et Tarzan le combat à mains nues. Le singe est sauvé.

Tous les animaux respectent Tarzan. L'homme-singe devient le roi de la jungle. Quand Tarzan s'élance d'arbre en arbre, il lance son cri redoutable : «O-oooo-oooooh !»

Un matin, le professeur Porter, un savant qui étudie les gorilles, pénètre dans la forêt. Il est accompagné de sa fille Jane et de Clayton, un chasseur qui les guide.

Alors que les gorilles se cachent au fond de la forêt, Tarzan s'approche des hommes pour les observer de plus près, car il n'en a jamais vus.

TARZAN

Tarzan et Jane

Avec Jane, Tarzan apprend à parler comme les hommes, mais il reste fidèle à ses amis les animaux.

Jane s'éloigne du groupe en oubliant les dangers qui se cachent dans la jungle. Une panthère se prépare à sauter sur elle quand Tarzan bondit au même moment et la sauve.

Tarzan entraîne Jane dans les arbres. D'abord effrayée, la jeune femme comprend qu'elle n'a rien à craindre de cet homme sauvage. Elle essaie de lui apprendre à parler.

Le professeur a repéré des traces de gorilles. Il veut ramener un animal vivant en Europe pour l'étudier. Clayton, le chasseur, creuse un piège qu'il recouvre de branchages.

Une femelle gorille tombe dans le piège avec son bébé. Un mâle arrive, furieux, pour défendre sa femelle.
Clayton saisit son fusil et vise, prêt à tirer.

Tarzan jaillit des arbres et détourne le fusil du chasseur. Puis il lance un cri d'appel et tous les éléphants des alentours arrivent au pas de course.

Grâce à Tarzan, la femelle gorille et son bébé sont libérés.
Clayton s'enfuit dans la jungle et le professeur décide d'étudier les animaux dans leur lieu de vie.

Il est temps pour le professeur de rentrer en Angleterre. Quant à sa fille Jane, elle choisit de rester dans la jungle avec Tarzan, parmi ses amis les gorilles.

Robinson Crusoé

Un jeune Anglais, Robinson Crusoé, rêve de partir en voyage sur les mers lointaines.

Malgré les avertissements de son père, Robinson Crusoé embarque sur un navire. Hélas, comme son père le craignait, le bateau est pris dans une terrible tempête. Tombé à l'eau, Robinson est porté par les vagues sur une plage. Il est le seul survivant du naufrage.

Le lendemain, la mer s'est calmée et le navire s'est échoué sur l'île. Robinson va sur le bateau récupérer tout ce qu'il peut : des outils, de la nourriture, des armes…

Robinson Crusoé part explorer l'île.
Il ne rencontre ni bêtes féroces ni hommes,
seulement des oiseaux inconnus aux
plumages éclatants. L'île semble déserte.

Pour construire sa hutte, il utilise
des planches prises sur le bateau
et des morceaux de voiles.
Il construit une table, un tabouret.

Par chance, les deux chats et surtout le chien du bateau sont encore en vie. Ils deviennent
les compagnons de Robinson. Il réussit à apprivoiser un perroquet et lui apprend à parler.

Robinson Crusoé et Vendredi

**Un jour, un jeune sauvage est abandonné sur l'île.
Robinson n'est plus seul !**

Pendant plusieurs années, Robinson cultive
la terre de son île. Il y plante des grains
de blé et cultive des légumes. Il élève
des chèvres sauvages pour avoir du lait.

Il passe aussi de longs mois à construire
un bateau qui lui permettrait de regagner
le continent. Hélas, l'embarcation terminée,
il n'arrive pas à la pousser jusqu'à l'eau !

Un matin, Robinson découvre des canots.
Il voit des indigènes maltraiter un prisonnier
qui s'enfuit. Robinson aide le prisonnier,
qui s'agenouille devant lui.

Robinson ayant sauvé le jeune garçon
un vendredi, il l'appelle Vendredi.
Il lui apprend à parler sa langue. Vendredi
devient son serviteur et bientôt son ami.

Un jour, une barque accoste. Méfiant, Robinson observe les arrivants de loin. Ce sont des marins anglais qui se sont révoltés contre leur capitaine et veulent l'abandonner sur l'île.

Profitant de l'inattention des marins, Robinson vient délivrer le capitaine et deux autres prisonniers. Ensemble, ils tuent les chefs des révoltés et regagnent le navire.

Vingt-huit années après son arrivée sur l'île déserte, Robinson repart pour l'Europe à bord du navire anglais. Il emmène avec lui Vendredi et son perroquet.

LES AVENTURES
DE TOM SAWYER

Tom Sawyer et son ami

**Tom Sawyer est un garçon désobéissant
mais plein d'imagination.**

Tom Sawyer vit chez sa tante Polly.
Il fait souvent l'école buissonnière
pour aller jouer aux pirates ou aux indiens
avec son ami Huckleberry Finn.

En classe, Tom s'ennuie tellement qu'il fait
des bêtises. Il fait courir un scarabée sur
une carte de géographie ou discute avec
ses camarades. Et il est souvent puni !

Une nuit, Tom rejoint Huck et leur copain Joe. À l'aide d'un radeau, ils rejoignent une île
au milieu du fleuve. Ils mangent des provisions volées et passent la nuit à la belle étoile.

Le lendemain, Tom ne peut se retenir d'aller chez sa tante pour voir si on a remarqué son absence. Caché sous son lit, il entend sa tante et sa cousine pleurer sa disparition.

Au bout d'une semaine, les trois garçons reviennent au village alors qu'on les croyait morts. Leurs familles pardonnent cette mauvaise blague !

À l'école, Tom est devenu un héros. Avec Joe, ils n'arrêtent pas de raconter leurs formidables aventures de pirates sur l'île.

Le secret de Tom Sawyer

**Tom Sawyer va être mêlé à un véritable crime
et devoir porter un lourd secret.**

Une nuit, Tom et Huck entrent dans un cimetière, éclairé par la lune, pour enterrer un chat. Ils surprennent des hommes en train de déterrer un mort. Les deux amis se cachent.

Sous les yeux des enfants, le docteur du village qui dirige l'opération se dispute avec ses deux aides : Joe l'Indien et Muff Potter. Soudain, Joe tue le docteur d'un coup de couteau.

Le lendemain, Muff Potter, à qui appartenait l'arme, est jeté en prison. Joe l'Indien nie être l'assassin. Les enfants n'osent pas le dénoncer car ils ont peur de lui.

Tom se sent coupable vis-à-vis de Muff Potter et ses nuits sont remplies de cauchemars. Ce secret pèse trop lourd et, le jour du procès, il vient raconter tout ce qu'il a vu dans le cimetière.

Grâce au témoignage de Tom, Muff Potter est acquitté. Joe l'Indien, lui, réussit à s'enfuir par une fenêtre du tribunal. Tom passe plusieurs nuits agitées craignant que l'Indien vienne le tuer.

Quelques semaines plus tard, on retrouve le corps de Joe l'Indien. Il a été enfermé dans une grotte et il est mort de faim. Tom peut enfin dormir sur ses deux oreilles.

Zorro

**Le cavalier qui surgit au galop dans la nuit,
avec son masque et son grand chapeau, c'est lui…**

Don Diego de la Vega mène une vie
paisible dans la riche hacienda mexicaine
de son père Don Alejandro de la Vega.

Le serviteur de Zorro, Bernardo, a été le
témoin d'une injustice. Comme il est muet, il lui
raconte l'événement avec de grands gestes.

Aussitôt Don Diego se transforme en Zorro, le justicier masqué.
Il part au triple galop dans la nuit sur son cheval noir.

En ville, Zorro provoque le cruel sergent
Garcia en duel. Agile comme un acrobate,
Zorro bondit avec son épée poursuivit
par le gros sergent.

Les soldats du sergent arrivent
à la rescousse et Zorro doit s'enfuir,
il laisse sa marque sur la joue du scélérat :
un Z qui veut dire Zorro.

Le gouverneur de la province met à prix la tête de Zorro,
le défenseur des pauvres et des opprimés. Mais personne
ne pense à inquiéter le tranquille Don Diego de la Vega.

Et Zorro
peut poursuivre
en secret son combat !

Je suis un super héros

Pour jouer au super héros, il suffit de se déguiser. Une cape, un masque et l'histoire commence !

Superman

Clark Kent est un journaliste timide. Mais dès qu'il enfile son costume bleu et sa cape rouge, il devient Superman, le justicier volant ! Plus rapide qu'un train, plus fort qu'un robot, invincible !

Thor

Coiffé d'un casque ailé, Thor ressemble au dieu du tonnerre. Son arme est un marteau enchanté.

Spiderman

En cas de danger, le jeune Peter Parker se transforme en Spiderman. Accroché à son fil, l'homme-araignée passe d'un immeuble à l'autre et se jette sur les voleurs qu'il capture dans sa toile.

Catwoman

Souple et agile comme une chatte, Catwoman se glisse dans les bijouteries pour voler des pierres précieuses. Qui l'en empêchera ?

Daredevil
Ce justicier est un champion de boxe
et de karaté. Complètement aveugle,
il peut sentir tous les dangers.

**Le surfer
d'argent**
Venu d'une autre
planète, il parcourt
l'univers sur son surf,
pulvérisant les
méchants de ses
rayons cosmiques.

Batman
Tout habillé de noir, Batman est
un être mystérieux. Au volant de
sa Batmobile, l'homme chauve-souris
fonce dans la nuit à la poursuite
du Joker son ennemi.

Hulk
Dès qu'il s'énerve, le docteur Banner
se transforme en l'incroyable Hulk.

Les héros de la Bible

LA
CRÉATION

Adam et Ève

Dans la Bible, Adam est le premier homme créé par Dieu, et Ève la première femme. Mais ils lui désobéissent…

Au commencement du monde, Dieu crée la terre et la mer, le soleil et la lune, le ciel et les étoiles. Il met des poissons dans l'eau, des oiseaux dans le ciel. Les animaux sont rassemblés dans le jardin d'Éden, un vrai paradis sur la Terre.

Dieu décide de créer un être qui lui ressemble avec de la terre. Quand il a fini, il souffle sur l'homme pour lui donner la vie. Il l'appelle Adam.

Dieu confie le paradis à Adam, mais il lui interdit de manger les fruits d'un arbre : celui qui fait connaître le bien et le mal. « Si tu en manges, tu mourras ! »

Pour faire plaisir à Adam, Dieu lui donne une compagne : c'est Ève, la première femme. Dans le jardin d'Éden, Adam et Ève vivent tout nus.

Un jour, le serpent dit à Ève : «Si vous mangez du fruit défendu, vous serez comme des dieux.» Ève se laisse tenter, elle croque dans le fruit et en donne à Adam.

Tout à coup, Adam et Ève ont honte d'être tout nus. Dieu comprend qu'ils lui ont désobéi. Pour les punir, il les chasse du paradis terrestre et les condamne à travailler durement.

La Genèse

La Bible est le livre sacré des juifs et des chrétiens. Au début de la Bible, la Genèse raconte comment Dieu créa le monde et l'histoire des premiers hommes.

LE DÉLUGE

L'arche de Noé

**Noé est le seul homme bon sur la Terre.
C'est pourquoi Dieu décide de le sauver du déluge.**

Dieu trouve que les hommes sont méchants : ils se disputent, ils se battent. Dieu se fâche contre eux et décide d'effacer tout ce qu'il a créé sur la Terre pour tout reconstruire.

Le vieux Noé n'a jamais fait le mal, alors Dieu lui dit : «Je vais faire tomber sur la Terre toutes les eaux du ciel. Construis un grand bateau pour te sauver avec ta famille et les animaux.»

Noé plante des cyprès pour fabriquer le bateau. En attendant que les arbres poussent, il avertit les hommes et les femmes du projet de Dieu. S'ils deviennent meilleurs, Dieu changera peut-être d'avis.

Quand les arbres sont grands, Noé coupe leurs troncs et en fait des planches. Ses trois fils l'aident à construire une grande arche bien solide. En voyant ce bateau posé en pleine campagne, les hommes et les femmes pensent qu'ils sont fous et se moquent d'eux.

Au bout de cent vingt ans, Noé a fini l'arche. Dieu lui parle alors : « Prends dans l'arche ta famille. Prends aussi un mâle et une femelle de tous les animaux. »

Noé obéit à Dieu. Il fait des provisions pour les hommes et pour les bêtes qui monteront dans l'arche.

Des animaux oubliés

On raconte que la licorne, les dragons et d'autres animaux de légende n'ont pas réussi à rejoindre l'arche de Noé. Ils ont disparu pendant le déluge.

LE DÉLUGE

Noé et le déluge

Grâce à Noé, les hommes et les animaux échappent au déluge et continuent de peupler la Terre.

Les animaux viennent deux par deux au-devant de Noé. Lions, tortues, papillons, perroquets, tous montent dans l'arche les uns après les autres. Ils sont très nombreux mais tous réussissent à tenir dans le bateau.

En voyant cela, les hommes et les femmes se moquent de Noé à nouveau. Mais dès que le dernier animal est monté, la pluie commence à tomber.

La pluie tombe pendant quarante jours. L'eau recouvre les plaines, les collines et les montagnes. Toutes les créatures meurent noyées : c'est le déluge sur la Terre.

Au bout de cent cinquante jours, le déluge s'arrête. Le vent chasse les nuages et les eaux se mettent à baisser. L'arche de Noé se pose au sommet d'une montagne, le mont Ararat.

Noé lâche une colombe mais elle revient vite sur l'arche. Sept jours plus tard, Noé la lâche à nouveau et elle revient le soir avec une brindille d'olivier dans le bec.

Sept jours plus tard, Noé lâche encore la colombe et, cette fois, elle ne revient pas. Noé et ses compagnons peuvent enfin sortir de l'arche.

Le signe de l'Alliance

Pour rassurer Noé, Dieu promet de ne plus jamais détruire la Terre. Il fait apparaître un arc-en-ciel en signe de l'Alliance entre lui et les hommes.

Abraham et son fils Isaac

**Pour savoir si Abraham est prêt à tout pour lui,
Dieu lui inflige une terrible épreuve.**

Abraham est un berger qui vit en Chaldée. Sa femme Sarah n'arrive pas à avoir d'enfants.
Un jour, Dieu lui ordonne d'abandonner ses richesses et de partir pour le pays
de Canaan. Abraham quitte ses parents et sa maison.

Dieu a dit à Abraham : « Tes enfants seront aussi nombreux que les étoiles du ciel. »
Mais les années passent et Sarah et Abraham sont de plus en plus vieux.
Enfin, à l'âge de cent ans, Sarah met au monde un fils qu'elle appelle Isaac.

Dieu décide de mettre Abraham à l'épreuve. Il lui demande de sacrifier
pour lui son fils bien-aimé. Alors Abraham charge
du bois sur un âne et part avec Isaac, qui ne se doute de rien.

Sur le chemin, pourtant, le garçon s'étonne : « Où est l'agneau pour le sacrifice ? »
Son père lui répond : « Dieu s'en occupera lui-même… » Arrivé sur la montagne,
Abraham allume un grand feu, il prend Isaac contre lui et lève son couteau.

Au moment où Abraham va frapper son fils avec son couteau, un ange venu du ciel
arrête son bras. L'ange lui dit : « Abraham, ne fais pas de mal à ton fils.
Tu as montré que tu étais prêt à obéir à Dieu. »

Plus tard, Isaac épouse Rébecca. Leur fils Jacob est choisi par Dieu
pour avoir douze fils, les ancêtres des douze tribus d'Israël.

Moïse, prince d'Égypte

**Les descendants d'Abraham vivent en Égypte.
Mais ils sont maltraités et persécutés.**

Les Hébreux sont de plus en plus nombreux en Égypte,
ce qui inquiète le pharaon. Il ordonne que tous leurs garçons soient tués à la naissance.

Un jour, un garçon hébreu naît dans une cabane de terre. Pendant trois mois, ses parents
l'élèvent en cachette. Puis, pour qu'il ne soit pas tué, sa mère fabrique une corbeille
en joncs tressés. Elle y couche l'enfant et coince la corbeille parmi les roseaux du Nil.

La fille du pharaon découvre la corbeille et le bébé qui pleure. Émue, elle décide de l'élever comme son fils. Elle l'appelle Moïse, ce qui veut dire « sauvé des eaux ».

Moïse devient un jeune homme. Un jour, sur un chantier, il voit un contremaître qui fouette un ouvrier hébreu. Alors Moïse prend une pierre et tue l'Égyptien.

Moïse doit s'enfuir dans le désert et il devient berger. En conduisant ses troupeaux, il voit un buisson en flammes. La voix de Dieu sort de ce buisson ardent et lui dit : « Moïse, je t'ai choisi pour libérer ton peuple et le conduire vers une nouvelle terre. »

Moïse, le guide des Hébreux

Avec l'aide de Dieu, Moïse va conduire le peuple des Hébreux jusqu'à la Terre promise.

Moïse retourne en Égypte et demande au pharaon de laisser son peuple quitter le pays. Mais le pharaon refuse, sans écouter les menaces de Moïse.

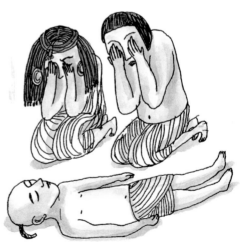

Alors, de terribles fléaux s'abattent sur l'Égypte : les eaux du Nil se transforment en sang, les poissons meurent et on ne peut plus y boire… Mais le pharaon refuse toujours de laisser partir les Hébreux.

Moïse dit au pharaon : « Cette nuit, Dieu va faire mourir l'aîné de chaque famille égyptienne. » Au matin, les Égyptiens sont en pleurs, leurs enfants sont morts et Dieu a épargné ceux des Hébreux.

Le pharaon laisse alors partir les Hébreux. Mais quand ils arrivent devant la mer Rouge, le souverain se lance à leur poursuite avec son armée. Heureusement, Dieu ouvre la mer devant les Hébreux pour les laisser passer et la referme sur les Égyptiens qui se noient.

Dans le désert, les Hébreux se plaignent. « Nous étions mieux en Égypte. Ici, nous allons mourir de faim. » Alors Dieu envoie une nourriture miraculeuse au goût de pain et de miel : la manne.

Dieu appelle Moïse en haut d'une montagne sacrée et lui dicte ses dix commandements. Moïse conduit ensuite son peuple à l'entrée du pays de Canaan, la Terre promise, et meurt.

Samson et Dalila

Parce qu'il est au service de Dieu, Samson ne doit jamais couper ses cheveux.

Dans le pays de Canaan, un ange promet la naissance d'un fils. Ils devront l'offrir à Dieu et ne jamais couper ses cheveux. Quand Samson naît, ses parents sont très heureux.

En grandissant, Samson devient d'une force extraordinaire. Dans une bagarre, il tue mille hommes avec une mâchoire d'âne. Ses ennemis rêvent de connaître le secret de sa force.

Un jour, Samson tombe amoureux d'une très belle femme, Dalila.
Elle fait partie du peuple des Philistins, les ennemis des Israélites. Les chefs des Philistins promettent à Dalila onze pièces d'argent si elle découvre d'où vient la force de Samson.

Dalila interroge Samson qui lui dévoile son secret : « Mes cheveux n'ont jamais été coupés car j'ai été consacré à Dieu. » Pendant que son amoureux dort, Dalila fait venir les Philistins qui coupent les longues boucles de Samson et lui crèvent les yeux.

Pour célébrer leur victoire, les Philistins organisent une grande fête. Ils font venir Samson et l'attachent aux piliers qui soutiennent leur temple.

Samson adresse une prière à Dieu : « Rends-moi ma force une fois encore. » Et, dans un dernier effort, il ébranle les piliers et le temple s'écroule.

Israélites et Philistins

Les Israélites sont les descendants d'Abraham. Les Philistins sont un autre peuple qui ne croit pas au même Dieu.

David contre Goliath

**Le courageux David n'a pas peur d'affronter
le gigantesque Goliath en combat singulier.**

Le temps a passé, mais les Israélites et
les Philistins continuent de se faire la guerre.
David est un jeune berger israélite. En secret,
Dieu l'a choisi comme futur roi d'Israël.

L'armée des Philistins a un champion :
un géant nommé Goliath. Chaque jour,
il nargue les soldats israélites
en les mettant au défi de le battre.

Tous les jours, Goliath lance son défi mais personne n'ose l'affronter.
Un matin, David entend les paroles du géant. «Moi, j'y vais, répond-il aussitôt.
Dieu est avec moi, je n'ai rien à craindre!»

David prend son lance-pierre et ramasse cinq cailloux qu'il met dans son sac. En voyant le petit berger s'approcher, Goliath éclate de rire. Mais David lui envoie une pierre entre les deux yeux et Goliath tombe sur le sol, raide mort.

David est un héros. Saül, le roi des Israélites, est jaloux du jeune homme et il ordonne qu'on le tue. David s'exile. Le jour, il se cache. La nuit, il compose des chants sur sa cithare.

À la mort de Saül, David devient roi d'Israël. Il fait construire une grande cité avec des maisons en pierre et un palais magnifique. C'est la ville de Jérusalem.

Le jugement de Salomon

Le roi Salomon est connu de tous pour la sagesse de ses jugements.

Salomon est le fils du roi David. Quand son père meurt, il est encore jeune et il s'inquiète : « Suis-je capable de rendre la justice ? »

Un jour, deux voisines se présentent avec un bébé. La première dit : « Majesté, cette femme a volé mon enfant pour remplacer son enfant mort dans la nuit. » La seconde répond : « Elle ment ! L'enfant qui est en vie, c'est le mien… »

Salomon réfléchit et ordonne à son garde : «Coupe cet enfant en deux et donne une moitié à chacune des femmes.» Aussitôt, la première femme s'écrie : «Non, laissez-lui l'enfant. Je ne veux pas qu'il meure!» Salomon sait alors que c'est elle la mère du bébé.

Pour honorer Dieu, le roi Salomon fait construire un magnifique temple à Jérusalem. Les colonnes qui soutiennent le temple sont en bronze et les murs sont décorés avec de l'or.

Une voyageuse se présente aux portes de Jérusalem. C'est la reine de Saba qui a entendu parler de la sagesse de Salomon et a fait des milliers de kilomètres pour le rencontrer.

Jonas dans le ventre du poisson

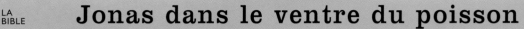

Parce qu'il ne veut pas obéir à Dieu, Jonas se retrouve prisonnier dans le ventre d'un poisson.

La méchanceté règne dans la ville de Ninive. Dieu demande à Jonas d'aller à Ninive et de prévenir ses habitants qu'il va détruire leur ville. Mais Jonas a peur et il s'enfuit.

Jonas embarque sur un bateau. Pendant la nuit, une tempête se lève, les vagues sont de plus en plus grosses. Sur le pont, les marins luttent pour empêcher le bateau de couler.

Jonas dit aux marins : « C'est à cause de moi si la mer se déchaîne. Jetez-moi à l'eau ! » Dès qu'il a quitté le bateau, la tempête se calme. Jonas s'enfonce dans les profondeurs de la mer où un énorme poisson l'avale.

Pendant trois jours et trois nuits, Jonas reste prisonnier dans le ventre du poisson. Il prie Dieu et lui promet d'aller à Ninive s'il sort de là. Alors, le poisson le recrache sur le rivage.

Jonas se rend aussitôt à Ninive et annonce la colère de Dieu. En l'entendant, les habitants de la ville regrettent leur méchanceté et décident de s'améliorer. Comme ils sont sincères, Dieu leur pardonne et ne détruit pas leurs maisons.

Les héros des contes
et légendes de la mythologie

MYTHOLOGIE ÉGYPTIENNE

La légende d'Osiris

Le dieu Osiris est le premier roi d'Égypte, sa femme est la magicienne Isis.

Nout, la déesse Ciel, et Geb, le dieu Terre, ont plusieurs enfants : Osiris, Seth, Isis et Nephtys. En grandissant, Osiris et Isis, qui étaient déjà amoureux dans le ventre de leur mère, se marient.

À la mort de leur père, Osiris et Seth se partagent l'Égypte. Osiris reçoit les terres fertiles, alors que Seth reçoit les déserts arides.

Osiris est joyeux et sage. Il apprend aux hommes à cultiver l'orge et la vigne, à utiliser les métaux.

Il leur donne des lois et leur montre comment faire des offrandes aux dieux.

Isis apprend aux femmes la fabrication du pain et des vêtements, l'art de guérir les maladies.

Seth veut être le roi de toute l'Égypte. Il fabrique un magnifique coffre en bois à la taille d'Osiris et organise une grande fête.

Pendant la fête, Seth offre le coffre à celui qui rentrera parfaitement dedans. Les invités tentent leur chance mais le coffre est toujours trop grand. Quand Osiris s'allonge à l'intérieur, Seth referme le couvercle et va jeter le coffre dans le fleuve.

Isis part pour un long voyage à la recherche d'Osiris. Elle finit par retrouver le coffre coincé dans le tronc d'un arbre. Isis dégage le coffre et le rapporte en Égypte.

Les rois pharaons

Osiris est représenté avec tous les symboles des rois pharaons : le sceptre et le fouet, la barbe tressée et la couronne royale.

MYTHOLOGIE
ÉGYPTIENNE

Isis, la magicienne

**Avec l'aide d'Anubis, le dieu des Morts, Isis va réussir
à rendre la vie à son mari Osiris.**

Quand il apprend qu'Isis a retrouvé le coffre d'Osiris, Seth a peur. Pour se débarrasser de son frère à jamais, il coupe son corps en quatorze morceaux et les disperse dans tout le pays.

Isis monte sur sa barque. Elle retrouve tous les morceaux du corps d'Osiris,
sauf un qu'un poisson a avalé.

Elle chante et pleure la mort de son mari.

Ému par ses larmes, Rê le dieu-soleil envoie
près d'elle Anubis, le dieu à tête de chacal.

Anubis reforme le corps d'Osiris avec des bandelettes. C'est la première momie.

Isis et sa sœur, transformées en oiseaux, battent des ailes devant la momie d'Osiris et lui redonnent le souffle de la vie.

Osiris devient le dieu des Morts.
Il est chargé de les juger et de décider de leur sort.

Quand un mort arrive devant le tribunal d'Osiris, son cœur est pesé sur une balance.

Il ne doit pas être plus lourd que la plume de la vérité,

sinon un monstre l'avale.

Les morts au cœur léger sont conduits devant le trône d'Osiris qui leur donne une nouvelle vie.

Les momies

Les Égyptiens pensaient que la vie continuait après la mort, grâce à Osiris. Pour conserver le corps en bon état pour cette deuxième vie, ils faisaient des momies.

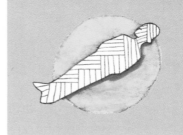

MYTHOLOGIE
ÉGYPTIENNE

La victoire d'Horus

**Seth est devenu le seul roi d'Égypte.
Il ne sait pas qu'Osiris et Isis ont eu un fils : Horus.**

Comme Isis a peur de la jalousie de Seth, elle élève son fils en cachette sur les bords du Nil.

Chaque matin, Isis cache Horus dans les papyrus et les roseaux et part chercher à manger.

Un jour, Horus se fait piquer par un scorpion. Rê le dieu-soleil envoie alors Thot pour guérir l'enfant.

Horus grandit, il est décidé à venger son père. Un matin, il réunit les amis d'Osiris. Ensemble, ils partent attaquer Seth et ses compagnons. En les voyant, leurs ennemis s'enfuient, transformés en crocodiles, en gazelles et en serpents.

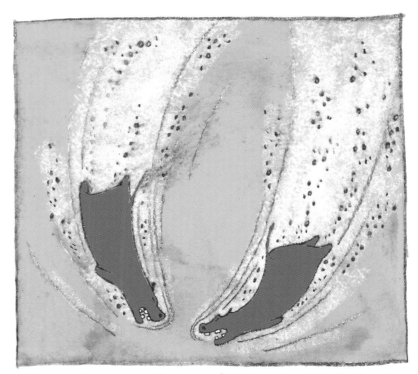

Le combat entre Horus et Seth commence. Au bout de trois jours, les deux combattants prennent la forme d'hippopotames et continuent à se battre sous l'eau.

Comme la guerre n'en finit pas, les dieux appellent Horus et Seth devant leur tribunal. Après les avoir écoutés, ils décident de donner l'Égypte au fils d'Osiris.

Seth, lui, devient le maître des orages et des tempêtes. Chaque jour, il accompagne Rê le dieu-soleil dans sa course dans le ciel.

Et chaque matin, Seth combat le serpent qui veut empêcher le soleil d'apparaître.

Les dieux égyptiens

Ils sont souvent représentés avec un corps humain et une tête d'animal. Horus a une tête de faucon, Anubis une tête de chacal, Thot une tête d'oiseau.

Le secret du dieu Rê

**Rê, le dieu du Soleil, est le plus puissant des dieux
égyptiens car il a un secret.**

Tous les matins le dieu Rê monte dans sa barque et parcourt le monde pour amener
la lumière du soleil aux hommes.

Rê s'arrête dans chaque province et
enseigne aux hommes son savoir.
Mais Rê a un secret : le nom que
ses parents lui ont donné à la naissance.

Un jour, Isis décide de découvrir le nom
secret de Rê. Elle sait que Rê est bien plus
fort qu'elle, alors elle imagine une ruse pour
obliger le dieu du Soleil à lui dire son nom.

Isis recueille un peu de salive de Rê, elle la mélange à de la terre et fabrique un serpent. Grâce à ses pouvoirs de magicienne, Isis donne vie à ce serpent.

Le lendemain matin, le serpent mord Rê au talon. Le dieu sent le poison envahir son corps. Les autres dieux accourent avec leurs remèdes… mais aucun ne peut l'aider.

Isis promet de le guérir. Mais pour cela, il doit lui dire son vrai nom. Rê a beaucoup de noms : il est Khépri le matin, Rê le midi et Atoum le soir. Il dit tous ses noms, sauf le nom secret, et la formule n'agit pas.

Comme il a très mal, Rê finit par dire le nom qu'il a toujours caché. Isis le guérit alors en prononçant les paroles magiques. Mais, depuis ce jour, elle est aussi puissante que le dieu-soleil lui-même.

MYTHOLOGIE GRECQUE

Prométhée, le voleur de feu

**Prométhée le Titan vole le feu aux dieux grecs
pour le donner aux hommes qu'il a créés.**

Prométhée et son frère Épiméthée sont chargés par les dieux de créer les hommes et les animaux. Pendant que Prométhée façonne les hommes avec de la terre, son frère Épiméthée donne des écailles aux poissons, des plumes aux oiseaux, la ruse aux renards…

À la fin de la distribution, il ne reste plus rien à donner aux hommes.

Prométhée va alors voler un peu du feu des dieux dans la forge d'Héphaïstos pour le rapporter sur Terre. Grâce au feu, les hommes peuvent se réchauffer, cuire leurs aliments, forger des armes et des outils.

Mais la vengeance de Zeus est terrible.
Il envoie aux hommes une créature merveilleuse mais très dangereuse : Pandore.
Quant à Prométhée, il est enchaîné par Héphaïstos sur une montagne. Et chaque jour
l'aigle de Zeus vient dévorer un morceau de son foie… qui repousse pendant la nuit.

Heureusement, Héraclès
tue l'aigle et délivre le Titan
de ce supplice sans fin.

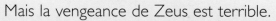

MYTHOLOGIE
GRECQUE

La boîte de Pandore

**À cause de la curiosité de Pandore,
le mal et la souffrance se répandent sur le monde.**

Avec l'aide de Prométhée, les hommes se sont moqués des dieux. Pour les punir, Zeus demande à Héphaïstos de créer Pandore, une femme aussi belle qu'une déesse.

Les dieux font cadeau à Pandore de tous les dons : la beauté, le charme, l'adresse. Mais ils lui donnent aussi un défaut : la curiosité.

Avant son départ de l'Olympe, Zeus confie à Pandore une boîte mystérieuse. Le dieu Hermès conduit Pandore sur la Terre et la présente au Titan Épiméthée.

Pandore séduit Épiméthée. Malgré les avertissements de son frère Prométhée, Épiméthée épouse Pandore en grandes noces. Il range soigneusement la boîte offerte par Zeus.

Pandore est heureuse avec son mari,
mais, comme l'avait prévu Zeus,
sa curiosité est la plus forte.
Elle demande chaque jour à ouvrir la boîte.
Chaque jour Épiméthée refuse.

Un matin, alors que le Titan est sorti,
la jeune femme soulève le couvercle
de la boîte. Tous les malheurs du monde
que Zeus y avait enfermés s'échappent.

La belle Pandore

La jeune femme créée
par les dieux porte bien
son nom ! En effet, Pandore
signifie « celle qui a tous
les dons ».

Depuis ce jour, les hommes connaissent la jalousie,
la tristesse, la méchanceté, les maladies, la mort.
Heureusement, dans la boîte, il restait l'espoir.

LES HÉROS DE LA MYTHOLOGIE

MYTHOLOGIE
GRECQUE

Thésée et le Minotaure

Chaque année, la ville d'Athènes doit livrer au roi de Crète sept jeunes hommes et sept jeunes filles pour nourrir le Minotaure.

Ce monstre mi-homme mi-taureau, le Minotaure, vit dans un gigantesque labyrinthe dont personne n'est jamais sorti vivant.

Thésée, le fils du roi d'Athènes, décide de partir avec les jeunes Athéniens pour affronter le monstre.

Avant de les livrer au Minotaure, Minos, le roi de Crète, invite les jeunes Athéniens à un banquet.

Sa fille Ariane tombe amoureuse de Thésée. Le matin, en cachette, elle lui apporte une pelote de fil.

Thésée avance dans le Labyrinthe en déroulant le fil d'Ariane derrière lui et réussit à tuer le Minotaure.

En suivant le fil, il retrouve son chemin parmi les dédales du Labyrinthe et s'enfuit avec la princesse Ariane.

| MYTHOLOGIE GRECQUE | # Le vol de Dédale et d'Icare |

**Furieux de la fuite de Thésée et d'Ariane,
Minos veut punir Dédale, l'architecte du Labyrinthe.**

C'est grâce à Dédale que Thésée a pu s'enfuir!
C'est lui qui a donné la pelote de fil à Ariane.
Pour le punir, Minos enferme Dédale et son fils Icare dans le Labyrinthe.

Dédale a l'idée de s'enfuir par les airs.
Il fabrique des ailes qu'il colle sur ses épaules et celles de son fils avec de la cire d'abeille.

Après des heures d'entraînement,
Dédale et Icare réussissent à s'envoler.
Ils survolent la mer Méditerranée.

Tout heureux de voler, le jeune Icare
monte de plus en plus haut dans le ciel
malgré les avertissements de son père.

Icare se rapproche dangereusement du soleil. La chaleur du soleil fait fondre
la cire et ses ailes se détachent. Le jeune homme tombe comme une pierre dans la mer
et se noie sous les yeux de son père. Dédale poursuit seul son vol jusqu'en Sicile.

MYTHOLOGIE
GRECQUE

Jason et la Toison d'or

**Pour récupérer son royaume,
Jason doit réussir une mission impossible.**

Jason est le fils d'un roi grec. Pélias, son oncle, lui a volé le trône. Quand Jason, devenu grand, réclame son royaume, Pélias promet de le lui rendre si le jeune homme lui rapporte la Toison d'or, la laine merveilleuse d'un bélier ailé qui se trouve en Colchide.

Médée, la fille du roi de Colchide, tombe amoureuse de Jason dès qu'elle le voit.

Jason part sur un grand navire, l'*Argo*. Cinquante héros grecs l'accompagnent dans ce dangereux voyage : ce sont les Argonautes.

Pour lui céder la Toison, le roi demande à Jason d'atteler à une charrue deux taureaux sauvages qui crachent du feu, de labourer un champ et d'y semer des dents de dragon.

Dès que Jason a semé
les dents de dragons,
des géants armés sortent
du champ.

Médée est magicienne et,
sur ses conseils, Jason lance
une pierre parmi eux
et les géants s'entretuent.

Comme le roi ne veut
toujours pas donner
sa précieuse Toison, Médée
endort le dragon qui la
garde et Jason s'en empare.

Grâce à Médée,
les Argonautes échappent
à tous les dangers, en
particulier au géant Talos.

Jason remet la Toison d'or
à son oncle… qui ne tient
pas sa promesse.
Alors Médée utilise une
horrible ruse pour le tuer.

La ruse de Médée

Médée met à cuire un vieux
bélier et le transforme
par magie en agneau. Elle
conseille aux filles de Pélias
de faire de même pour
rajeunir leur vieux père…

MYTHOLOGIE
GRECQUE

Orphée, le musicien

Orphée est un musicien fabuleux. Avec sa lyre, il séduit tous ceux qui l'entendent, même les bêtes sauvages.

Orphée est l'époux de la belle Eurydice.
Hélas un jour, Eurydice se fait mordre
par un serpent et meurt.
Orphée reste seul et inconsolable.
Il ne joue plus de la lyre,
il ne chante plus.

Orphée décide de se rendre aux Enfers pour
retrouver Eurydice. Sa musique attendrit le passeur,
qui lui fait traverser le fleuve des Enfers, et Cerbère,
le chien à trois têtes, gardien des Enfers.

Ému lui aussi, Hadès, le dieu des Morts, accepte de laisser Eurydice repartir avec Orphée. Il y met une condition : pour sortir du royaume des Morts et regagner le royaume des Vivants, Orphée devra marcher devant Eurydice sans jamais se retourner.

Les supplices des Enfers

Le dieu Hadès et sa femme Perséphone règnent sur les Enfers. Tous les morts s'y retrouvent, bons ou méchants. Seuls les criminels sont punis car ils ont défié les dieux.

Alors qu'ils sont presque arrivés à la lumière, Orphée ne peut se retenir davantage, il regarde derrière lui… et voit aussitôt Eurydice disparaître dans les ténèbres. Il l'a perdue pour toujours.

MYTHOLOGIE
GRECQUE

Héraclès à la force surhumaine

Héraclès est le fils du dieu Zeus et de la reine Alcmène, c'est le plus fort des héros grecs.

Héraclès est le nom grec d'Hercule. Tout bébé, il est déjà très fort.
Quand la déesse Héra, épouse jalouse de Zeus, dépose dans son berceau
deux grands serpents, le petit Heraclès les étouffe entre ses poings.

Plus tard, Héra, toujours jalouse, rend Héraclès fou et il tue sa femme et ses enfants.
C'est pour expier ce crime qu'Héraclès doit réaliser pour le roi Eurysthée
douze exploits surhumains : les douze travaux d'Héraclès.

Les douze travaux d'Héraclès

Chaque fois qu'Héraclès tranche une tête au monstre, deux autres repoussent aussitôt. Heureusement, un ami d'Héraclès brûle au fer rouge les cous au fur et à mesure et Héraclès tue l'hydre.

Ce monstre dévore bergers et troupeaux. Sa peau est si épaisse que les flèches ne peuvent la transpercer. Héraclès l'attaque finalement à mains nues et réussit à l'étouffer.

Héraclès entraîne le sanglier dans la montagne. Il attend que le sanglier s'épuise dans la neige pour sauter sur son dos et l'enchaîner. Il le ramène vivant à Eurysthée.

Héraclès doit capturer vivant cet animal merveilleux, capable de courir très vite et très longtemps. Il lui faut une année pour fatiguer la biche et l'attraper enfin.

Les douze travaux d'Héraclès

MYTHOLOGIE GRECQUE

Les oiseaux du lac Stymphale

Ces oiseaux de bronze sont tellement nombreux qu'on ne peut les tuer tous. En tapant dans des cymbales, Héraclès les fait s'envoler et les tue de ses flèches.

Les écuries d'Augias

Ces étables où dorment les trois mille bœufs d'Augias n'ont jamais été lavées. Pour les nettoyer en une journée, Héraclès détourne deux rivières qui lavent tout à sa place.

Le taureau de Crète

Ce taureau géant ravage les cultures de l'île de Crète. Après un long combat, Héraclès réussit à le dompter.

Les juments de Diomède

Ces quatre juments sont nourries par le roi Diomède avec de la chair humaine. Héraclès tue Diomède et le donne à manger à ses juments.

La ceinture de la reine des Amazones

Les Amazones sont des guerrières. Héraclès doit tuer leur reine pour emporter la ceinture d'or qu'elle porte à la taille.

Les troupeaux de boeufs de Géryon

Héraclès tue facilement le géant à trois têtes et à trois corps mais il a plus de mal à conduire ses bêtes d'Espagne jusqu'en Grèce.

Les pommes d'or du jardin des Hespérides

Les Hespérides sont les filles du géant Atlas qui porte jour et nuit le ciel sur ses épaules. Atlas accepte de cueillir des pommes pour Héraclès à condition que celui-ci le remplace pour porter le ciel. Sous prétexte de changer de position, Héraclès réussit à redonner à Atlas son fardeau.

Cerbère le chien des Enfers

Pour son dernier exploit, Héraclès doit se rendre aux Enfers et capturer Cerbère, le chien à trois têtes. Héraclès réussit à le dompter et le ramener sur terre.

La belle Hélène

MYTHOLOGIE GRECQUE

Hélène est si belle qu'elle va être la cause d'une très longue guerre : la guerre de Troie.

Hélène est la fille de Zeus et d'une belle jeune femme, Léda.

Elle devient la plus belle femme de Grèce et tous les princes veulent l'épouser.

Avant qu'Hélène ne se décide, tous ses amoureux promettent de respecter son choix et de porter secours à son époux.

C'est le roi de Sparte, Ménélas, qui a la chance d'épouser Hélène. Ensemble, ils mènent une vie tranquille.

Un jour, un jeune prince, Pâris, tombe sous le charme de la reine Hélène. Il réussit à la séduire avec l'aide de la déesse Aphrodite. Hélène s'enfuie avec Pâris pour la ville de Troie.

Désespéré, le pauvre Ménélas va voir son frère, le roi Agamemnon. Ils décident de monter une expédition de guerriers pour reprendre Hélène par la raison ou par la force.

Les deux frères envoient des messagers à travers le pays pour demander à tous les rois de Grèce de se souvenir de leur promesse et de venir aider Ménélas. La guerre de Troie commence.

La pomme de la discorde

Une dispute éclate entre les déesses Héra, Athéna et Aphrodite pour une pomme d'or où est écrit : « À la plus belle ». Pâris donne la pomme à Aphrodite, qui lui a promis l'amour de la plus belle femme de Grèce...

Achille aux pieds légers

**Le grand guerrier grec Achille semble invincible.
Mais il a un point faible : son talon.**

Achille est le fils d'un roi et de la déesse Thétis. Pour le rendre immortel, Thétis plonge le bébé dans le fleuve Styx en le tenant fermement par le talon. C'est la seule partie vulnérable du corps d'Achille qu'il protège avec une talonnière de bronze.

Élevé par le centaure Chiron, Achille devient un formidable guerrier.
Comme il est imbattable à la course, on le surnomme Achille aux pieds légers.

Achille va se battre avec les Grecs contre les Troyens. Thétis demande à Héphaïstos, dieu des Armes, de fabriquer un casque, une cuirasse et un bouclier pour son fils.
Il lui donne aussi une épée à double tranchant, à la poignée ornée de pierres précieuses.

Malgré l'incroyable force d'Achille, la guerre de Troie dure pendant dix ans. Un jour, Agamemnon, le chef de l'armée grecque, réclame l'amoureuse d'Achille.

Le héros en colère décide de ne plus participer à la guerre. Et, sans Achille, les Grecs subissent défaites sur défaites.

Patrocle, l'ami d'Achille, se lance alors dans la bataille revêtu de l'armure du héros. Les Troyens s'enfuient. Seul Hector, leur chef, fait face à Patrocle et le tue. Désespéré par la mort de son ami, Achille reprend le combat.

Le talon d'Achille

L'histoire d'Achille a donné une expression.
Pour désigner la faiblesse de quelqu'un, on dit que c'est son « talon d'Achille ».

Profitant d'un moment où Achille a enlevé sa talonnière, le prince troyen Pâris lui tire une flèche empoisonnée dans le talon. Le héros est mortellement blessé.

MYTHOLOGIE GRECQUE

Ulysse aux mille ruses

Grâce à l'intelligence d'Ulysse, les Grecs vont gagner la guerre contre les Troyens.

Ulysse est le roi de la petite île d'Ithaque. Il vit heureux avec sa femme Pénélope et leur fils Télémaque. Il n'a pas envie d'abandonner sa famille pour aller faire la guerre de Troie.

Devant les envoyés grecs, Ulysse fait semblant d'être fou : il se met à labourer la plage et à semer des cailloux.

Mais ses amis se méfient et l'un d'eux pose le petit Télémaque devant la charrue. Ulysse s'arrête net : il est démasqué.

Protégés par les hauts murs de la ville, les Troyens sont imbattables. Ulysse a l'idée de faire construire un grand cheval en bois et d'y cacher des soldats. Les navires grecs font semblant de partir. Les Troyens, croyant à un cadeau des dieux, poussent le cheval dans la ville.

À la nuit tombée, toute l'armée grecque revient et attend qu'Ulysse et ses compagnons leur ouvrent les portes de la ville. Les Troyens se font presque tous massacrer. Les Grecs se partagent les trésors et la ville est brûlée.

LES HÉROS DE L'ANTIQUITÉ

MYTHOLOGIE GRECQUE

Le long voyage d'Ulysse

**Après la guerre, Ulysse est puni par les dieux.
Il met dix ans pour rentrer chez lui.**

Ulysse et ses compagnons entassent leur butin sur douze navires. Sur la première île où ils accostent, les Grecs mangent des fleurs qui leur font oublier leur pays.

Sur une autre île, ils se retrouvent enfermés dans la caverne du cyclope Polyphème. Ulysse lui offre du vin pour l'endormir et crève son unique œil avec un énorme pieu.

Le lendemain, Polyphème, aveugle, fait sortir ses moutons un à un de la grotte. Ulysse et ses amis s'accrochent sous le ventre des bêtes pour échapper au cyclope.

Pour venger Polyphème, Poséidon, son père, le dieu des Mers, déchaîne alors sa colère contre Ulysse.

148

Il doit affronter le chant merveilleux des sirènes, qui rendent les marins fous pour mieux les dévorer. Ulysse bouche les oreilles de ses compagnons avec de la cire et il se fait attacher au mât de son navire pour pouvoir les entendre sans risque.

Le navire d'Ulysse échappe à Charybde, un tourbillon marin, et à Scylla, un monstre à six têtes perché sur un rocher.

Circé la magicienne transforme les Grecs en cochons. Ulysse réussit à les délivrer en séduisant la magicienne.

Enfin, Poséidon envoie une terrible tempête. Tous les compagnons d'Ulysse se noient. Il reste tout seul accroché à une planche.

MYTHOLOGIE GRECQUE

Pénélope, l'épouse fidèle

Tout le monde pense qu'Ulysse est mort, mais sa femme Pénélope attend patiemment son retour.

Après le départ d'Ulysse, Pénélope règne seule sur l'île d'Ithaque. Les princes voisins en profitent pour s'installer dans le palais.

Ils mangent le bétail d'Ulysse, ils boivent son vin et demandent à Pénélope de choisir un nouveau roi parmi eux.

Pour repousser ces prétendants, Pénélope utilise une ruse. Avant de se remarier, elle demande à terminer le drap qu'elle tisse pour le père d'Ulysse, le vieux Laërte. Le jour, elle tisse et, toutes les nuits, elle défait en secret son travail de la journée.

Les prétendants finissent par découvrir la supercherie et se mettent en colère. Heureusement, Ulysse revient enfin à Ithaque.

La déesse Athéna qui le protège lui conseille de se déguiser et de ne pas dire qui il est.

Pour choisir son nouveau mari, Pénélope organise un concours de tir avec l'arc d'Ulysse. Aucun prétendant ne réussit à bander l'arc. À la fin du concours, Ulysse, déguisé en mendiant, s'empare de l'arc et massacre tous les prétendants.

Télémaque

À vingt ans, Télémaque est trop jeune pour chasser les prétendants de sa mère. Parti à la recherche de son père, il revient à Ithaque guidé par la déesse Athéna en même temps qu'Ulysse.

MYTHOLOGIE
ROMAINE

Énée, le voyageur

**Quand l'armée grecque victorieuse met le feu à Troie,
Énée, protégé par Vénus, réussit à s'enfuir.**

Énée est le fils de la déesse Vénus et d'un prince troyen, Anchise.
Il porte sur son dos son vieux père Anchise et tient son fils Ascagne par la main.
Sa femme disparaît dans l'incendie.

Énée et ses amis partent
à la recherche d'une terre
où s'installer.

Sur la mer Méditerranée,
ils affrontent de nombreuses
tempêtes.

Des oracles prédisent
à Énée qu'il sera un jour
un roi puissant.

LES HÉROS DE LA MYTHOLOGIE

Les navires d'Énée débarquent dans une grande ville. C'est Carthage, la ville de la reine Didon. Vénus envoie sur Terre Cupidon, le dieu de l'Amour. Cupidon tire une de ses flèches dans le cœur de la reine Didon qui tombe amoureuse d'Énée et veut l'épouser.

Mais Énée a une mission : fonder en Italie la nouvelle Troie et le dieu Jupiter lui ordonne de poursuivre son voyage.

Désespérée, la reine Didon se jette dans le feu. Énée conduit ses navires jusqu'en Italie.

LES HÉROS DE LA MYTHOLOGIE

Romulus et Remus

**Tout bébés les jumeaux Romulus et Remus
sont sauvés par une louve qui les nourrit.**

Amulius s'est emparé du trône de son frère
Numitor. Il a aussi tué les fils de Numitor
et enfermé sa fille, la princesse Rhea Silvia.

Mais, un jour, la princesse est séduite
par le dieu Mars et elle donne naissance
à des jumeaux.

Amulius ordonne de les noyer dans le Tibre.
Un serviteur abandonne sur l'eau le panier
en osier où ils dorment. Ils s'échouent
miraculeusement sur la rive, sous un figuier.

Les petits sont vite affamés. Heureusement,
une louve entend leurs cris et les nourrit.
Les enfants survivent et, un matin, ils sont
recueillis par un berger.

Le berger appelle les garçons Romulus et Remus et il les élève comme ses fils. En grandissant, ils deviennent de jeunes hommes forts et courageux.

Un jour, Romulus et Remus apprennent la vérité sur leur histoire. Ils décident alors de rendre son trône à leur grand-père Numitor, qui vit en prison.

Romulus et Remus lèvent une armée. Amulius est tué au cours de la bataille et, grâce à ses petits-fils, Numitor redevient le roi d'Albe.

Le dieu Mars

Pour les Romains, Mars est le dieu de la Guerre mais aussi celui de la Jeunesse et du Printemps. La louve et le pic-vert sont des animaux qui accompagnent souvent ce dieu.

MYTHOLOGIE
ROMAINE

Romulus, le premier roi de Rome

Romulus et Remus veulent construire une nouvelle ville à l'endroit où la louve les a sauvés.

Pour choisir l'emplacement exact de la ville, Romulus et Remus guettent un signe des dieux. Remus voit six vautours dans le ciel.

Mais, juste après lui, Romulus en voit douze et il pense que c'est son emplacement que les dieux ont choisi.

Romulus trace un sillon dans la terre avec une charrue pour délimiter sa ville. « Les murailles de Rome seront infranchissables! » annonce-t-il fièrement.

Par bravade, Remus saute par-dessus le sillon en riant. Cela rend Romulus fou de rage : il se jette sur Remus et le tue, regrettant aussitôt son geste.

Romulus organise la vie de la nouvelle cité et lui donne des lois. Rome se remplit
de bergers, mais accueille aussi des voleurs, des esclaves et des mendiants.
Aucune femme ne veut s'installer avec eux.

Romulus organise alors une grande fête où il invite les habitants de la ville voisine :
les Sabins. Pendant la fête, les Romains enlèvent toutes les jeunes filles et les cachent.
Les pères et les frères des Sabines promettent de se venger.

Les Romains épousent les Sabines. Pendant ce temps, les Sabins préparent leurs armes
et reviennent pour se battre. Mais les jeunes épouses arrêtent les combattants.
Finalement, elles préfèrent rester avec leurs maris romains.

INDEX